부자가 되고 싶은
알렉산더

주디스 바이오스트 글 · 레이 크루즈 그림

글쓴이 **주디스 바이오스트**는 뉴저지 주에서 태어났으며, 1960년 시사 평론가인 밀튼 바이오스트와 결혼한 이래 워싱턴에서 살고 있습니다. 이 책의 주인공 닉 알렉산더의 친어머니로서 막내아들 알렉산더를 주인공으로 하는 여러 그림책을 만들었습니다. 대표작으로 『*Alexander and the Terrible, Horrible, No Good, Very Bad Day*』, 『*Alexander, Who's Not(Do you hear me? I mean it!) Going to Move*』가 있습니다.

그린이 **레이 크루즈**는 스페인에서 태어나 자랐으며, 뉴욕시립대학에서 공부했습니다. 광고 디자인을 하다가 최근에는 어린이 그림책을 그리고 있습니다. 주디스 바이오스트와 여러 권의 그림책을 만들었습니다.

옮긴이 **정경임**은 이화여대를 졸업하고 문학과지성사에 근무하였습니다. 역서로 『예술의 새로운 시각』, 『펠레의 새 옷』, 『마리와 양』, 『마리의 봄』, 『마리의 성탄절』, 『동물들은 왜 옷을 입지 않아요?』 등이 있으며, 『논리학이란 무엇인가』를 썼습니다.

부자가 되고 싶은 알렉산더
주디스 바이오스트 글 / 레이 크루즈 그림 / 정경임 옮김 / 펴낸곳·도서출판 지양사·키드북 / 주소·서울 마포구 상수동 317-11 /
등록번호·제18-25 / 초판 발행일·2004년 9월 9일 / 전화·02-324-6279 / 팩스·02-325-3722
값 8,500원

이 책을 알렉산더의 할아버지와 할머니께 바칩니다.

부자가 되고 싶은
알렉산더

안토니 형은 1달러짜리 지폐 두 장을 가졌다. 그리고 25센트 은화 세 개, 10센트 은화 한 개, 5센트 백동전 일곱 개, 1센트짜리 동전은 열여덟 개나 가졌다. 이건 공평하지 못하다.

니키 형은 1달러짜리 지폐 1장, 25센트 은화 2개, 10센트 은화 5개, 5센트 백동전 5개, 1센트짜리 동전을 13개나 가졌다. 이건 공평하지 못하다.

이건 공평치 못해, 왜냐하면 내가 가진 건 버스 토큰밖에 없는데…….

내가 가진 건 언제나 버스 토큰뿐이었다.

큰돈이 생겼을 때에도 오래지 않아 난 빈털터리가 되었고, 남은 건 버스 토큰뿐이었다.

지난 일요일 나는 부자였었다.

뉴저지 주에 사시는 할아버지와 할머니께서 오셨다.

할아버지와 할머니께서는 훈제 연어와 화분을 가져오셨다.

아버지는 연어를 좋아하시고, 어머니는 꽃 가꾸기를 좋아하시기 때문이다.

할아버지께서는 안토니 형과 니키 형, 그리고 나에게 각각 1달러씩 주셨다.
우리들이 돈을 좋아하는 것을(어머니께서는 그걸 못마땅해 하셨지만) 아시기 때문이다.

특히 나에겐 큰돈이었다.

아버지께서는 대학에 가려면 그 돈을 저축하라고 말씀하셨다.

설마, 농담이시겠지.

안토니 형은 시내 가게에 가서 새로 나온 가면을 사는 게 좋을 거라고 말했다.
안토니 형은 늘 나를 못생겼다고 놀린다.

니키 형은 돈을 정원에 묻으라고 말했다.
일 주일이 지나면 나무가 자라 돈이 주렁주렁 열릴 거라며,
'하 하 하' 웃었다.

엄마는 내가 워키토키를 갖고 싶다면 그 돈을 저금하는 게 좋을 거라고 말씀하셨다.

그러나 저축하기란 너무 힘들다.

지난 일요일, 부자였던 나는 피어슨 씨의 가게에 가서 풍선껌을 샀다.

얼마 지나지 않아 껌의 단물이 다 빠졌다. 그래서 껌을 하나 더 샀다.

얼마 지나지 않아 또다시 단물이 빠졌다. 그래서 껌을 또 하나 더 샀다.

나는 입안에 가득 찬 풍선껌을 단돈 5센트에 팔겠다고 친구인 데이비드에게 말했지만,

아직까지 그 껌을 사지 않는다.

그래서 15센트를 날렸다.

지난 일요일, 부자였던 나는 안토니 형과 내기를 했다.
나는 300을 셀 때까지 숨을 쉬지 않을 수 있다고 우겼지만, 안토니 형이 이겼다.
니키 형과는 현관 앞 계단 위에서 멀리뛰기 내기를 했지만, 니키 형이 이겼다.

엄마하고는 내가 어느 쪽 손에 보라색 구슬을 숨겼는지 알아맞히기 내기를 했다.
그런데 엄마가 어떻게 그걸 알아채셨는지 지금도 수수께끼다.

이렇게 해서 또 15센트가 날아갔다.

나는 나머지 돈을 저금하기로 굳게 마음먹었다. 그리고 쓸데없는 데 돈을 쓰지 않기로 했다.

단 한 가지만 빼고는…….

그것은 에디의 뱀을 빌리는 것이었다.

에디는 12센트를 내면 한 시간 동안 뱀을 빌려 주겠다고 말했다.

그거야말로 내가 늘 원하던 거였다.

잘 가, 12센트.

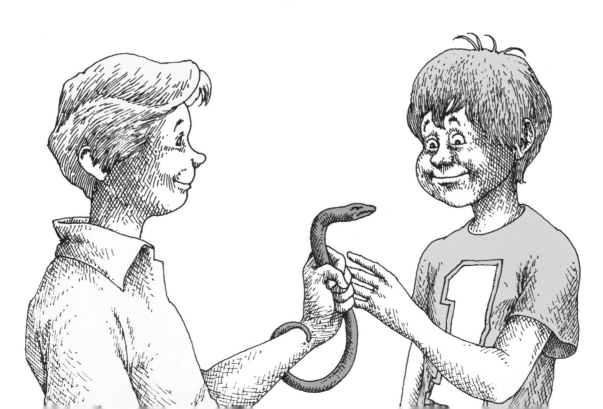

안토니 형은 내가 아흔아홉 살이 될 때까지 워키토키 살 돈을 모으지 못할 거라고 말했다.
니키 형은 내가 너무 멍청해서 모으기는커녕 가진 돈도 모두 날려 버릴 거라고 놀렸다.
더는 참을 수가 없었다.
아버지께서는 형들에게 그렇게 화를 내는 아이는 세상에 없을 거라고 말했다.
아버지는 상스러운 말을 한 벌로 형들에게 5센트씩 주라고 판결했다.

잘 가, 10센트.

지난 일요일, 나는 부자였었는데, 실수로 3센트를 변기에 빠뜨린 채 물을 내렸다.
또 5센트짜리 백동전을 떨어뜨렸는데 마루의 나무 틈 새로 들어가 버렸다.
나는 그걸 꺼내려다 버터 자르는 칼과 엄마의 가위를 망가뜨렸다.

안녕, 8센트.

그리고 버터 칼과 가위도.

지난 일요일, 나는 부자였었는데……. 서랍장 위에 놓여 있는 초콜릿 바를 발견했다.
초콜릿이 녹아 물러지면 맛이 없어진다. 그렇더라도 그걸 먹지 말았어야 했다.
그게 안토니 형 거였다는 걸 내가 어찌 알았겠는가.

안녕, 11센트.

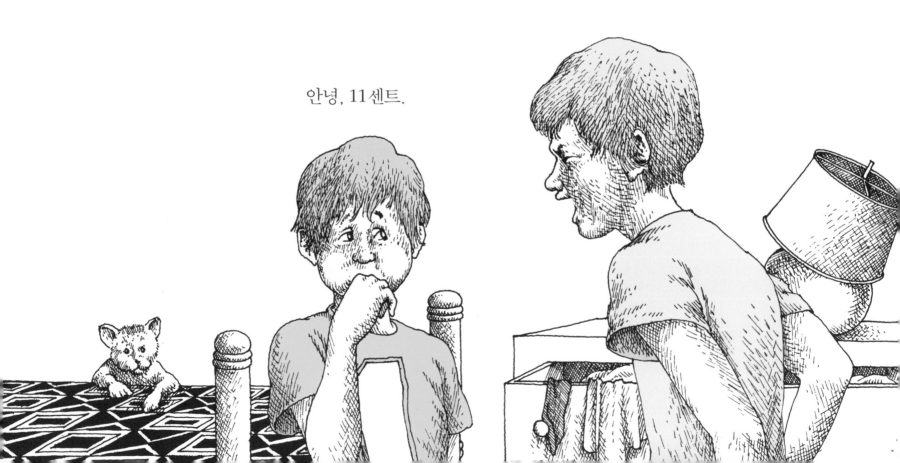

나는 나머지 돈을 저금하기로 결심했다. 그리고 쓸데없는 데 돈을 쓰지 않기로 했다.
그런데 니키 형이 마술을 보여주겠다고 했다.
니키 형은 내 동전들을 허공에서 감쪽같이 사라지게 했다.
그런데 그걸 되돌아오게 하는 마술은 아직 배우지 못했다고 말했다.

안녕, 4센트.

안토니 형은 내가 백아흔아홉 살이 될 때까지 워키토키 살 돈을 모으지 못할 거라고 말했다.
니키 형은 돈을 쓰지 못하도록 나를 우리 안에 가두어야 할 거라고 말했다.
아버지께서는 형에게 그렇게 화를 내는 아이는 세상에 없을 거라고 말했다.
아버지는 니키 형에게 발길질한 벌로 5센트를 지불하게 했다.

안녕, 5센트.

지난 일요일, 내가 부자였을 때, 캐시가 차고에서 중고품 판매 바자회를 열었다.

나는 구경만 할 작정이었다.

그런데 거기에 반쯤 남은 양초가 있었다. 나는 그 양초가 너무나 갖고 싶었다.

그리고 외눈박이 곰 인형을 발견했다. 그것도 갖고 싶었다.

그 옆에 카드 한 벌이 있었다. 그 카드는 클로버 7과 다이아몬드 2가 없을 뿐 완벽했다.

클로버 7과 다이아몬드 2는 나에게 별로 중요하지 않았다.

안녕, 20센트.

나는 돈을 저금하기로 결심했다.
나는 돈을 저금하기로 굳게 결심했다.
내가 가진 돈을 모두 저금하기로 결심했다.
그런데 이젠 저금할 돈이 없다.

흔들리는 이빨을 뽑았을 때 소원을 빌었더니, 다음날 아침 베개 밑에서 은화가 반짝였던 일이
생각났다. 그래서 나는 이빨을 뽑기로 했다. 그 이빨이 25센트짜리 은화로 바뀔 수만 있다면.

"뽑지 마!"

나는 피어슨 씨 가게의 공중 전화 부스를 뒤졌다.
왜냐하면 그곳에서 사람들이 종종 5센트짜리 동전이나 10센트짜리 은화를 잃어버리기 때문이다.
하지만 동전을 잃어버린 사람은 없었다.

환불되지 않는 빈 병을 친절한 가게에 가지고 갔다.
가게 아저씨는 더는 친절하지 않았다.

내가 할 수 있는 일이라곤, 할아버지와 할머니께 작별 인사를 드리는 것뿐이었다.
"할아버지, 할머니, **어서 빨리** 다시 오세요."

지난 일요일, 나는 1달러나 가졌었다.

그러나 이제 그 돈은 없다.

단지 이 빠진 카드 한 벌과 외눈박이 곰 인형, 다 타 버린 양초 한 개가 있을 뿐이다.

그리고 버스 토큰 두 개뿐.

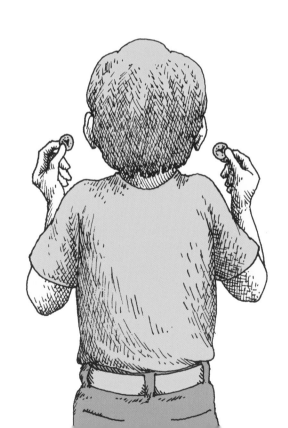

Alexander,
Who Used to Be Rich
Last Sunday

JUDITH VIORST

Illustrated by RAY CRUZ

It isn't fair that my brother Anthony has two dollars and three quarters and one dime and seven nickels and eighteen pennies.

It isn't fair that my brother Nicholas has one dollar and two quarters and five dimes and five nickels and thirteen pennies.

It isn't fair because what I've got is··· bus tokens.

And most of the time what I've mostly got is··· bus tokens.

And even when I'm very rich, I know that pretty soon what I'll have is··· bus tokens.
I know because I used to be rich. Last Sunday.

Last Sunday Grandma Betty and Grandpa Louie came to visit from New Jersey. They brought lox because my father likes to eat lox. They brought plants because my mother likes to grow plants.

They brought a dollar for me and a dollar for Nick and a dollar for Anthony because— Mom says it isn't nice to say this— we like money.
A lot. Especially me.

My father told me to put the dollar away to pay for college.
He was kidding.

Anthony told me to use the dollar to go downtown to a store and buy a new face. Anthony stinks.

Nicky said to take the dollar and bury it in the garden and in a week a dollar tree would grow. Ha ha ha.

Mom said if I really want to buy a walkie-talkie, save my money.
Saving money is hard.

Bacause last Sunday, when I used to be rich, I went to Pearson's Drug Store and got bubble gum. And after the gum stopped tasting good, I got more gum. And after that gum stopped tasting good, I got more gum. And even though I told my friend David I'd sell him all the

 gum in my mouth for a nickel, he still wouldn't buy it.
Good-bye fifteen cents.

Last Sunday, when I used to be rich, I bet that I could hold my breath
till 300. Anthony won. I bet that I could jump from the top of the stoop and
land on my feet. Nicky won.

 I bet that I could hide this purple marble in my hand, and my mom would
never guess which hand I was hiding it in.
I didn't know that moms made children pay.
Good-bye another fifteen cents.

I absolutely was saving the rest of my money. I positively was saving the rest
of my money. Except that Eddie called me up and said that he would rent
me his snake for an hour. I always wanted to rent his snake for an hour.
Good-bye twelve cents.

Anthony said when I'm ninety-nine I still won't have enough for a
walkie-talkie. Nick said I'm too dumb to be let loose. My father said that
there are certain words a boy can never say, no matter how ratty and mean

his brothers are being. My father fined me five cents each for saying them.
Good-bye dime.

Last Sunday, when I used to be rich, by accident I flushed three cents
down the toilet. A nickel fell through a crack when I walked on my hands.
I tried to get my nickel out with a butter knife and also my mother's
scissors.
Good-bye eight cents.
And the butter knife.
And the scissors.

Last Sunday, when I used to be rich, I found this chocolate candy bar just
sitting there. I rescued it from being melted or smushed.
Except the way I rescued it from being melted or smushed was that I ate it.
How was I supposed to know it was Anthony's?
Good-bye eleven cents.

I absolutely was saving the rest of my money. I positively was saving the rest
of my money. But then Nick did a magic trick that made my pennies vanish
in thin air. The trick to bring them back he hasn't learned yet.
Good-bye four cents.

Anthony said that even when I'm 199, I still won't have enough for a walkie-talkie. Nick said they should lock me in a cage. My father said that there are certain things a boy can never kick, no matter how ratty and mean his brothers are being. My father made me pay five cents for kicking it.
Good-bye nickel.

Last Sunday, when I used to be rich, Cathy around the corner had a garage sale. I positively only went to look. I looked at a half-melted candle.
I needed that candle. I looked at a bear with one eye.
I needed that bear. I looked at a deck of cards that was perfect except for no seven of clubs and no two of diamonds. I didn't need that seven or that two.
Good-bye twenty cents.

I absolutely was saving the rest of my money. I positively was saving the rest of my money. I absolutely positively was saving the rest of my money. Except I needed to get some money to save.

I tried to make a tooth fall out—I could put it under my pillow and get a quarter.
No loose teeth.

I looked in Pearson's telephone booths for nickels and dimes that people sometimes forget. No one forgot.

I brought some non-returnable bottles down to Friendly's Market. Friendly's Market wasn't very friendly.

I told my grandma and grandpa to come back soon.

Last Sunday, when I used to be rich, I used to have a dollar. I do not have a dollar any more. I've got this dopey deck of cards. I've got this one-eyed bear. I've got this melted candle.

And… some bus tokens.